Helena Raquel

A Profecia do Silêncio

Helena Raquel

A Profecia do Silêncio

quatro ventos

quatro ventos

Editora Quatro Ventos
Avenida Pirajussara, 5171
(11) 99232-4832

Diretor executivo:
Raphael T. L. Koga
Editora-chefe:
Giovana Mattoso de Araújo

Editor responsável:
Lucas Benedito

Editoras: Eduarda Seixas
Nadyne Voi

Diagramação: Suzy Mendes
Capa: Vinícius Lira

Todos os direitos deste livro são reservados pela Editora Quatro Ventos.

Proibida a reprodução por quaisquer meios, salvo em breves citações, com indicação da fonte.

Todas as citações bíblicas e de terceiros foram adaptadas segundo o Acordo Ortográfico da Língua Portuguesa, assinado em 1990, em vigor desde janeiro de 2009.

Todo o conteúdo aqui publicado é de inteira responsabilidade da autora.

Todas as citações bíblicas foram extraídas da Almeida Revista e Corrigida, salvo indicação em contrário.

Citações extraídas do site *https://bibliaonline.com.br/arc*. Acesso em janeiro de 2024.

1ª Edição: fevereiro de 2024

Catalogação na publicação
Elaborada por Bibliotecária Janaina Ramos – CRB-8/9166

H474p

Helena Raquel

A profecia do silêncio: uma lição de resiliência / Helena Raquel. – São Paulo: Quatro Ventos, 2024.

(Pra. Helena Raquel, V. 2)
88 p.; 12,4 X 17,5 cm
ISBN 978-85-54167-60-8

1. Vida cristã. 2. Oração - Cristianismo. 3. Princípios. I. Helena Raquel. II. Título.

CDD 248.4

Sumário

Palavra inicial para os colecionáveis — 7

Palavra de abertura — 9

1. O período de silêncio — 13
2. A esperança de Ana — 25
3. Uma nova identidade de filhos — 37
4. Servindo os príncipes com pão e azeite — 47
5. O tempo de Deus — 59
6. O profeta do lugar improvável — 71

Referências bibliográficas — 83

Palavra inicial para os colecionáveis

Durante toda a minha vida, tenho tido a alegria de ler mulheres como Joyce Meyer, Lisa Bevere e Elizabeth George. Lendo-as, fui edificada e consolada; também me emocionei, sorri e chorei, exatamente como os bons livros fazem conosco.

Autoras cristãs norte-americanas, europeias e de todos os continentes têm muito a nos dizer. Entretanto, entendo que autoras crentes que pisam no mesmo solo que nós conseguirão falar de forma mais eficaz sobre nossos desafios enquanto mulheres cristãs na igreja brasileira. Temos uma realidade única em nosso país, e a cada nação cabe a sua própria singularidade.

Alegro-me profundamente com a oportunidade de, com os pés em terras brasileiras, falar a vocês por meio destes livros; poder escrever palavras que vão de encontro aos seus corações e que reverberarão em cada ministério. Sei que, assim como eu, vocês conhecem a temperatura, o sabor e a beleza de servir ao Reino aqui.

Oro a Deus, Aquele por quem vivo, para que estas obras sejam um bom instrumento para o seu aperfeiçoamento n'Ele.

Com amor e de mãos dadas com todas vocês,

Helena Raquel.

Palavra de abertura

Tenho dito frequentemente aos meus alunos e alunas que a Bíblia conta uma história seletiva; e não poderia ser diferente. Narrar uma história de milhares de anos sem ser seletivo seria impossível. As Escrituras Sagradas compactam séculos em 66 livros. Nada supérfluo é contado nela, apenas o que é essencial e merece nossa profunda atenção.

Ao vermos, no Evangelho de Jesus, a narrativa de uma senhorinha chamada Ana, nosso coração deve se inclinar a isso para perceber que algo muito valioso está sendo relatado ali. Quando tive a oportunidade de olhar cuidadosamente para o texto, minha vida foi profundamente tocada. Mergulhei na Palavra e colhi pérolas que, neste livro, compartilho com você.

Se prepare! Ore agora mesmo, antes de continuar a leitura. Os poucos versículos dedicados à Ana podem, pelo poder da Palavra de Deus, demolir o castelo de desculpas que, por vezes, criamos para não cumprir o ministério que recebemos do Senhor.

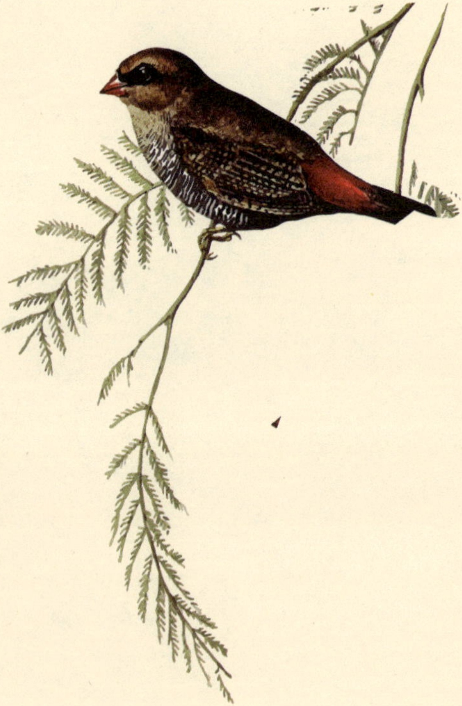

Capítulo 1
O período de silêncio

Em algumas Bíblias mais antigas, ou mesmo em edições recentes, é comum encontrarmos algumas páginas em branco separando o Antigo e o Novo Testamento. Uma, duas, três, às vezes até quatro folhas totalmente vazias; a quantidade pode variar — ou não existir — dependendo da versão.

Na Teologia, esse espaço que, por vezes, encontramos entre o conteúdo das duas alianças é chamado de "Período Interbíblico", um hiato que durou cerca de quatrocentos anos. Segundo a História, nenhuma ação de Deus foi registrada durante esse tempo. Houve um silêncio profético. Existem várias teorias do porquê isso aconteceu, e até outras narrativas que se passam nesse mesmo período, como o livro dos Macabeus, presente na Bíblia Católica. Contudo, não buscamos resolver essas questões aqui. O mais importante a ser entendido é: não houve **registros** no Cânon Sagrado. Isso não significa que Deus não estava agindo. Seria loucura dizer isso. O Senhor jamais se ausentou! O mundo nunca esteve entregue ao acaso. O Todo-Poderoso sempre esteve no controle de todas as coisas.

Ainda assim, quatro séculos é um espaço de tempo considerável. Quatrocentos anos sem que nenhum profeta eloquente, nenhuma voz proeminente, nenhum sinal miraculoso, nenhum oráculo se manifestasse. Consequentemente, durante esse período, os judeus — logo, o judaísmo, também — receberam diversas influências dos povos gregos, romanos e persas, devido aos conflitos que enfrentaram, bem como a dominação desses impérios sobre o seu território. Dessa forma, se prestarmos um pouco de atenção em algumas passagens dos Evangelhos, perceberemos que muitos dos "carrapichos" que Jesus encontrou em Seu ministério terreno, como escribas, fariseus, saduceus, entre tantos outros "eus" surgiram ao longo desses anos, como consequência das várias novas interpretações a respeito da Lei e dos preceitos divinos. O resultado desse tempo foi uma fé judaica quase totalmente afastada do padrão teológico puro e genuíno.

Às vezes, tento imaginar quais eram os pensamentos das pessoas que viviam nesse período que precedia o nascimento do Messias; provavelmente pensavam coisas como: "Não há uma voz profética no púlpito da sinagoga", "Onde estão os profetas?", "O que nos falta é alguém como Isaías, que ande despido pelas ruas da cidade para impactar a nação", "Cadê aqueles como Oseias, que tomou uma prostituta como esposa para revelar o amor de Deus por Israel?". Mas, ainda que pensassem assim, o Senhor não deixava de agir, Ele estava cuidando de alguns **remanescentes**.

MILAGRE NO SILÊNCIO

É, no mínimo, mal-informado — para não dizer maldoso — quem faz uma radiografia tão pessimista da Igreja hoje em dia e diz: "Não existe mais ninguém que viva em obediência! Ninguém faz mais nada

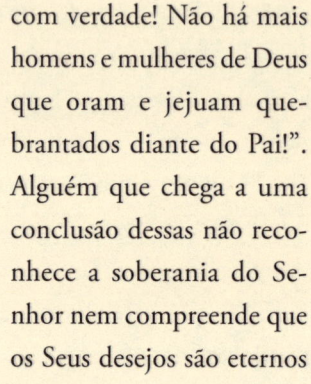

> **Alguém que chega a uma conclusão dessas não reconhece a soberania do Senhor nem compreende que os Seus desejos são eternos e infalíveis.**

com verdade! Não há mais homens e mulheres de Deus que oram e jejuam quebrantados diante do Pai!". Alguém que chega a uma conclusão dessas não reconhece a soberania do Senhor nem compreende que os Seus desejos são eternos e infalíveis (cf. Isaías 55.8-9). E foi isso que Ele provou quando deu início ao Seu plano de salvação para a humanidade.

No Evangelho de Jesus, segundo escreveu Lucas, encontramos a passagem em que o anjo Gabriel desce ao santuário onde o sacerdote Zacarias estava queimando incenso e lhe diz:

> *[...] Zacarias, não temas, porque a tua oração foi ouvida, e Isabel, tua mulher, dará à luz um filho, e lhe porás o nome de João.* (Lucas 1.13)

Alguns versículos à frente, podemos nos deparar com o mesmo mensageiro do Senhor visitando uma cidade da Galileia, chamada Nazaré, e falando com uma virgem:

> [...] *Maria, não temas, porque achaste graça diante de Deus, e eis que em teu ventre conceberás, e darás à luz um filho, e pôr-lhe-ás o nome de Jesus. Este será grande e será chamado Filho do Altíssimo; e o Senhor Deus lhe dará o trono de Davi, seu pai, e reinará eternamente na casa de Jacó, e o seu Reino não terá fim.* (Lucas 1.30-33)

Algum tempo depois, as profecias do Senhor se cumpriram. Os dois bebês nasceram, sendo ligados por um destino profético desde o ventre (cf. Lucas 1.39-45). Quando Jesus veio ao mundo, José e Maria, obedecendo à Lei de Moisés (cf. Levítico 12.1-8; Êxodo 13.2), foram ao templo apresentar seu filho. Sim! O mesmo templo que, durante o Período Interbíblico, se tornou sinônimo de sequidão profética; o mesmo lugar onde, por quatrocentos anos, as vozes inspiradas pelo Senhor mantiveram-se caladas. Aquele templo, uma vez símbolo de um povo "abandonado", o qual Deus havia esquecido, estava recebendo o Messias.

A profecia do silêncio

A palavra profética de Ageu, de que a glória da segunda casa seria maior do que a primeira, estava se cumprindo. Naquele dia, o príncipe da paz entrou ali pela primeira vez.

> *E, quando os oito dias foram cumpridos para circuncidar o menino, foi-lhe dado o nome de Jesus, que pelo anjo lhe fora posto antes de ser concebido. E, cumprindo-se os dias da purificação, segundo a lei de Moisés, o levaram a Jerusalém, para o apresentarem ao Senhor (segundo o que está escrito na lei do Senhor: Todo macho primogênito será consagrado ao Senhor) e para darem a oferta segundo o disposto na lei do Senhor: um par de rolas ou dois pombinhos.* (Lucas 2.21-24)

Quando o casal chegou com a criança em seus braços, Simeão, um senhor que vivia em Jerusalém e aguardava a chegada do Messias no templo, ao avistar a criança, disse:

> **Agora, Senhor, podes despedir em paz o teu servo, segundo a tua palavra, pois já**

Capítulo 1 | O período de silêncio

> ***os meus olhos viram a tua salvação,*** *a qual tu preparaste perante a face de todos os povos, luz para alumiar as nações e para glória de teu povo Israel.* (Lucas 2.29-32 – grifo nosso)

Simeão havia recebido uma revelação do Espírito Santo de que não morreria antes de ver o Cristo de Deus e, ao contemplar o menino, não teve dúvidas de que era Jesus. Ainda que alguns tivessem desistido de acreditar, que as vozes proféticas estivessem caladas, que todos tivessem perdido as esperanças, Deus estava agindo, pois Ele é capaz de fazer milagres mesmo em meio ao silêncio. Seu poder é incalculável! Ao tomar o bebê nos braços e louvar a Deus, era como se Simeão estivesse dizendo "Pronto! O Espírito Santo disse que eu veria o Messias, agora O vi, posso partir em paz!" (cf. Lucas 2.26-28).

Deus estava honrando a Sua palavra e recompensando os poucos que ainda criam em Sua promessa de redenção. Toda a glória seja dada Àquele que nunca mentiu, para sempre e eternamente.

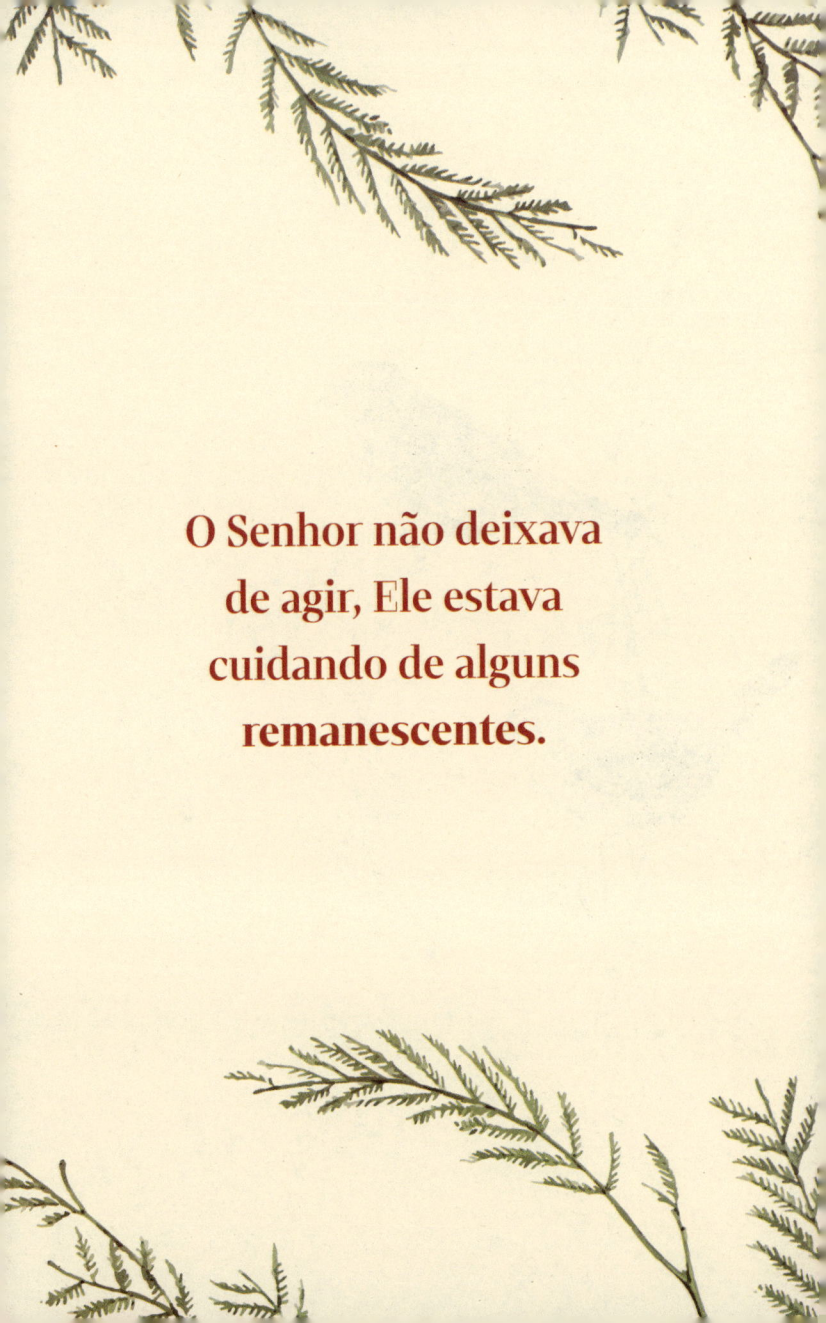

O Senhor não deixava
de agir, Ele estava
cuidando de alguns
remanescentes.

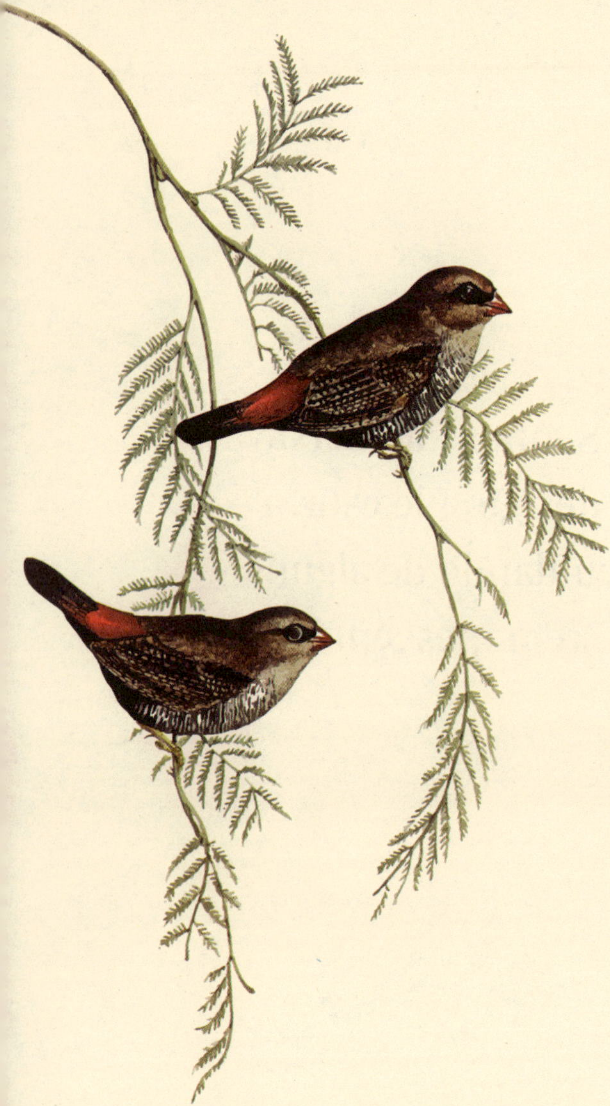

Capítulo 2

A esperança de Ana

Em muitos momentos, a narrativa bíblica escolhe utilizar palavras no plural. Isso porque raramente um indivíduo persevera sozinho em meio a uma adversidade; o Senhor sempre conserva aqueles que n'Ele esperam. Elias, por exemplo, não estava sozinho durante a perseguição de Jezabel (cf. 1 Reis 19.18), e esse também é o caso dos remanescentes, que falamos no capítulo anterior. Na apresentação de Jesus, Simeão também não era o único que aguardava em meio ao silêncio.

> *E estava ali a profetisa Ana, filha de Fanuel, da tribo de Aser. Esta era já avançada em idade, e tinha vivido com o marido sete anos, desde a sua virgindade, e era viúva, de quase*

A profecia do silêncio

oitenta e quatro anos, e não se afastava do templo, servindo a Deus em jejuns e orações, de noite e de dia. E, sobrevindo na mesma hora, ela dava graças a Deus e falava dele a todos os que esperavam a redenção em Jerusalém. (Lucas 2.36-38)

Assim como Simeão, a profetisa Ana esperava o nascimento de Jesus. Apesar da idade avançada, ela aguardava no templo todos os dias, mantendo uma prática constante de jejum e oração. Mesmo tendo perdido o marido, a viúva não havia se tornado uma pessoa amargurada. Ela buscava a presença dia e noite e anunciava a mensagem de Cristo. Ana era uma profetisa nos tempos de silêncio.

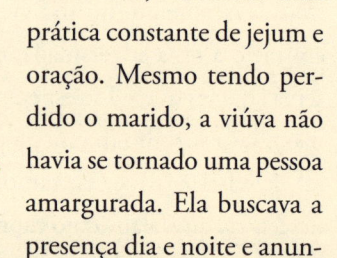

> **Ela buscava a presença dia e noite e anunciava a mensagem de Cristo. Ana era uma profetisa nos tempos de silêncio.**

Na apresentação do menino Jesus, enquanto Simeão se sentia satisfeito e aguardava a sua morte, Ana, não! Ela não viu na chegada d'Ele o final do seu ministério, mas abraçou poderosamente a missão de fazê-lO conhecido. Sim, a profetisa anunciava a chegada do Messias a todos. Eu imagino aquela senhorinha atravessando o santuário e dizendo: "Simeão, você pode ir em paz, mas eu não! Para mim, a festa está só começando!". Por sua fé e persistência, ela não apenas teve o privilégio de viver uma longa vida, mas pôde testemunhar com seus próprios olhos o cumprimento da promessa que Israel aguardava há tantos séculos.

Diante das múltiplas tarefas que competem a nós, mulheres cristãs, jamais podemos esquecer ou negligenciar a missão de fazer o nome de Jesus e Sua obra conhecida entre os povos.

SEM DESCULPAS

Infelizmente, são poucos que possuem a mesma postura de Ana; muitos cristãos, hoje, assemelham-se a Simeão, e se sentem satisfeitos com o seu destino eterno e acreditam que está tudo bem. Simeão era um homem piedoso, mas também idoso. Podemos, com facilidade, entender a sua ideia de "missão cumprida ", mas o que vemos no meio cristão hoje é escandaloso! Pessoas jovens e adultas afirmando que vão para o Céu, mas sem o interesse sincero de levar outros consigo.

A facilidade com que alguns enumeram diversos motivos para não manifestar o Reino é alarmante, e demonstra uma verdadeira crise na Igreja dos nossos dias. Homens e mulheres, sem exceção, enterram ministérios, sonhos extraordinários e dons que trariam cura e libertação à tantas pessoas diante da mínima adversidade.

Já escutei desculpas como: "Ah! Como eu queria ter ido para aquela viagem, mas tinha tantos compromissos mais interessantes", "Se tivesse alguém para me buscar, com toda certeza, eu estaria naquele congresso", "Se pagassem a minha passagem, todos veriam o grande missionário que sou", "Se eu tivesse alguém para me patrocinar, teria coragem de pregar o Evangelho em qualquer lugar". São tantos motivos banais... Por vezes, soam tão nobres e justos que nos enganam, especialmente a nós, mulheres. Algumas dizem: "Meu ministério é cuidar da minha casa", e eu me pergunto "Como assim?". Permita-me lhe explicar e por favor não jogue esse livro fora. Eu sei que o confronto não é confortável.

Cuidar de sua casa e família é um serviço de amor e zelo. A Bíblia afirma que se alguém não tem esse cuidado, negou a fé e é pior do que o infiel (cf. 1 Timóteo 5.8). É um equívoco imenso acreditar que uma coisa nos exime da outra. Faça coisas por você, ame o seu marido, zele pelos seus e cumpra o seu ministério no Senhor. Organize o seu tempo com sabedoria e sensatez. A família precisa ser preservada, mas o Reino também avançará através de nós, mulheres.

Muitos desafios aparecerão em sua jornada, e não será fácil enfrentar. Os sentimentos podem colidir, e as perguntas nem sempre serão respondidas; mas a decisão de começar e prosseguir é nossa.

Lembro-me de quando comecei a pregar em grandes conferências e tive a oportunidade de conhecer e ministrar diante de pessoas que eram referências para mim. Nesses momentos, eu poderia me intimidar, recorrendo ao silêncio, deixando que o constrangimento e autodepreciação tomassem a minha mente. Graças a Deus, quando ousei flertar com esse sentimento, o Senhor me fez entender a benção da singularidade e recebi a graça necessária para prosseguir. Falo melhor sobre isso no livro *Compromisso radical*.

O medo e a solidão são traiçoeiros. Se permitirmos, eles nos cegam completamente, retirando a nossa percepção daquilo que estamos vivendo com o Senhor e das oportunidades que Ele tem dado a nós.

> O medo e a solidão são traiçoeiros. Se permitirmos, eles nos cegam completamente, retirando a nossa percepção daquilo que estamos vivendo com o Senhor e das oportunidades que Ele tem dado a nós.

Mas, se pensarmos por alguns instantes, perceberemos que os nossos motivos para não continuar são insignificantes perto do que outros já enfrentaram. Ana, por exemplo, nasceu no Período Interbíblico. Quando o Messias veio ao mundo, a profetisa já havia passado dos oitenta anos. Eu penso que, mesmo com toda a sua fé, por vezes, ela poderia se questionar se realmente veria a promessa se cumprindo, pois já estava com certa idade. Essa mulher vivia no tempo em que a Teologia dizia "Não há voz profética". No entanto, ela não deixou que o medo interrompesse o seu ministério. Ela era uma profetisa!

Para Ana, as folhas brancas entre os testamentos não significavam nada! A viúva aguardava no templo, dia e noite, em jejum e oração. Sem dúvidas, poderia ter desanimado no meio do caminho, colocado empecilhos, deixado o templo...mas não! Enquanto alguns esperavam por um pequeno vislumbre de Cristo, ela fazia dos seus dias um memorial de consagração, forjando uma mulher de fé, esperançosa e guardada pela mão de Deus.

O CENÁRIO IDEAL

Segundo William MacDonald, Ana era membro dos poucos remanescentes fiéis às profecias messiânicas em Israel. Além disso, como profetisa, ela recebia revelações divinas e servia como mensageira de Deus. Esse título é raro dentro da Bíblia, ainda mais se tratando de uma mulher naqueles tempos. Se nos perguntassem quantos discípulos existiram, ou escribas, sacerdotes, será que conseguiríamos citar uma lista considerável? Hoje, em dias tão desfavoráveis, o exemplo incomum de Ana rompe com toda a lógica que poderíamos estabelecer de um cenário ideal.

O momento perfeito nunca existirá. Releia a última frase, por favor. Fantasiar um cenário favorável será em um impeditivo para você. Nós, como mulheres cristãs, anunciamos o Reino de Deus, pois sabemos que o único futuro possível é aquele em que Jesus reinará sobre todas as nações. Até lá, não podemos continuar

A profecia do silêncio

"esperando a chuva passar" ou acumular motivos para não fazer nada. Dizer que os tempos são maus ou que sua fé está fria porque todos ao seu redor estão morrendo espiritualmente não pode ser um empecilho, pelo contrário, deve servir como um incentivo para viver uma transformação genuína. O sábio declara, em Eclesiastes, que quem olha para o vento nunca semeará (cf. Eclesiastes 11.4).

Ana viveu em um tempo em que todos se silenciaram, mas ela decidiu que seu ministério profético não seria interrompido. A profetisa estava ali! Seja como Ana! Creia! Esteja, também! Mova-se, mulher! Vá ao lugar que Deus já apontou! São nos contextos improváveis que nossa unção é dobrada.

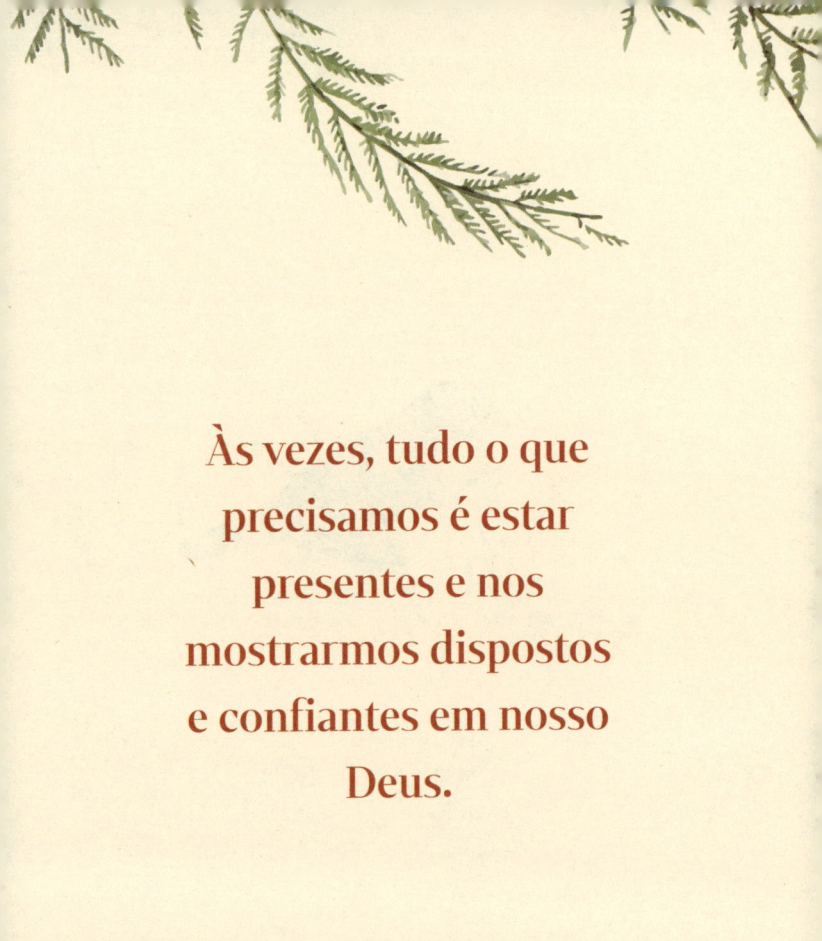

Às vezes, tudo o que precisamos é estar presentes e nos mostrarmos dispostos e confiantes em nosso Deus.

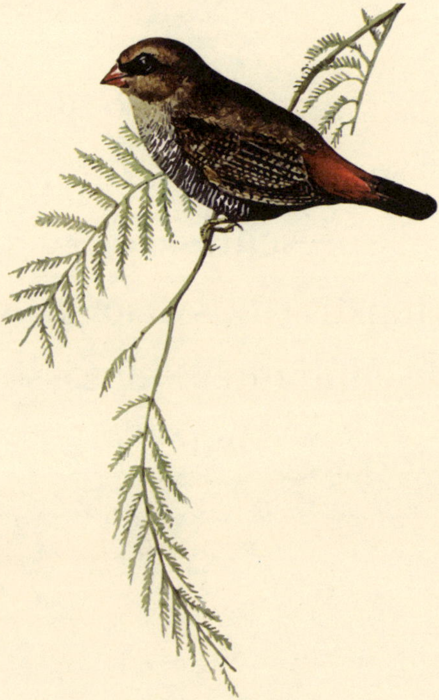

Capítulo 3

Uma nova identidade de filhos

E estava ali a profetisa Ana, **filha de Fanuel***, da tribo de Aser[...].* (Lucas 2.36 – grifo nosso)

A inda que a esperança de Ana seja a sua característica mais marcante, existe outro detalhe muito importante em sua história que não pode ser ignorado. Já falei um pouco sobre isso no capítulo anterior, mas gostaria de aprofundar um ponto essencial dessa profetisa: a maneira como ela é descrita no Evangelho de Jesus, segundo escreveu Lucas.

Ao longo de toda a Escritura Sagrada, podemos perceber o quanto assuntos como família e casamentos são abordados de forma enfática. E não é para menos, afinal, nosso Deus estabeleceu a família como uma estrutura fundamental desde o Éden, quando formou Adão e Eva, e deu a eles a missão de cultivarem a Terra e multiplicarem-se sobre ela (cf. Gênesis 1.27-28).

A IMPORTÂNCIA DA FAMÍLIA

Desde o chamado do patriarca Abraão e a promessa feita por Deus de que ele seria pai de multidões (cf. Gênesis 17.5), toda a sua descendência permaneceu preservando esse pilar dentro de sua cultura e costumes.

Ao estudarmos as Escrituras, podemos encontrar alguns outros casos emblemáticos, como a história de Tamar (cf. Gênesis 38), envolvendo seu sogro, Judá, o caminho da viuvez e a Lei do Levirato[1], ou, ainda, o relato do livro de Rute, que conta a história dessa mulher e sua sogra, Noemi. Essas mulheres, quando todos os membros de sua casa morreram, partiram em busca de refúgio nas terras de Boaz, um parente rico, deixando claro como o casamento era valorizado naquele tempo. Nessa história, o mais interessante é a

---

[1] A Lei do Levirato é descrita em Deuteronômio 25.5-6. De acordo com ela, quando um homem morria sem deixar filhos, seu irmão mais próximo tinha a responsabilidade de casar-se com a viúva. O objetivo principal era garantir que a descendência do falecido continuasse através dos filhos desse novo casamento.

Capítulo 3 | Uma nova identidade de filhos

influência de Elimeleque (esposo de Noemi), e seus filhos Malom e Quiliom, que permaneceu mesmo após o seu falecimento. A relação de dependência de uma esposa para com a família de seu marido era grande, e poderia ditar o futuro de uma mulher para sempre.

O caso de Bate-Seba também contribui para essa compreensão. Mesmo após o adultério de Davi, que convocou a mulher ao palácio para que dormisse com ele, Bate-Seba continuou conhecida como a mulher de Urias (cf. 2 Samuel 11). Em outras palavras, eram raras as situações em que uma mulher não seria mais reconhecida como a esposa de alguém, independentemente das circunstâncias que a tornaram uma viúva.

A profetisa Ana também havia sido casada, e perdera o marido no sétimo ano de casamento. Nos dias bíblicos, após o casamento, o nome passava a estar ligado ao esposo. Apesar disso, no Evangelho de Jesus, segundo escreveu Lucas, ela é chamada de "Filha de Fanuel". Mas por quê? Por que não fora citada como uma esposa ou apenas mais uma viúva? O que a diferenciava dessas outras mulheres? Onde estava o nome do marido?

ROMPA COM A IDENTIDADE DA DOR

Bem... O que a Bíblia quer nos dizer com esse trecho, é que Ana não seria reconhecida por sua dor. Nós, da mesma forma, não podemos ser reconhecidas pela dor! Como cristãs, fomos chamadas para ser fortes, ousadas e confiantes em meio aos tempos mais difíceis, pois temos conquistas extraordinárias para serem alcançadas pelo Reino. Nosso passado, traumas ou períodos de silêncio não podem ser o motivo da nossa desistência. Eu e você não seremos reconhecidas por aquilo que perdemos ao longo da vida, e sim por Quem nos gerou, por Aquele que nos fez nascer novamente. Ao ser chamada de "filha de Fanuel", a identidade da dor de Ana estava sendo rasgada. Ali, não era "Ana, a viúva", mas "Ana, a profetisa, filha de Fanuel", uma mulher guardada por Deus.

Então, fuja dos rótulos! Você não é simplesmente uma mulher de poucos recursos, ou mesmo alguém que foi traída, rejeitada, abusada, que perdeu alguém que amava ou não conheceu os pais. Você é uma filha de Deus!

Enquanto cristãs, experimentaremos dores semelhantes; a viuvez, nesse contexto, aponta para

Capítulo 3 | Uma nova identidade de filhos

abandono e vulnerabilidade, também. Mas Ele prometeu que estaria conosco até a consumação dos séculos (cf. Mateus 28.20), e Sua paternidade sobressai à viuvez, à escassez e a qualquer tipo de dor.

Sei que a minha insistência nesse assunto pode parecer um pouco repetitiva, mas preciso que entenda uma coisa: **você precisa romper com a identidade da dor!** Se você é alguém que fala das suas dores do passado em todo lugar que vai — e acredita que isso seja edificante —, se faz questão de expor isso em todas as mesas que se senta ou, ainda, se reflete esse comportamento no púlpito, em seu ministério, enquanto louva ao Senhor canta e prega a Palavra, sempre com um conteúdo contaminado pelo azedume da vida, abandone essa prática de uma vez por todas. Você não é a "Ana que perdeu", mas a "Ana que foi gerada".

Todo filho carrega traços de seus pais, não somente em aspectos físicos e biológicos, como também em sua personalidade e trejeitos. Sempre que um bebê nasce, costumamos dizer que ele tem a cara do pai, o nariz da mãe ou os olhos dos avós, ou seja, características que testificam o seu parentesco e a família a que pertence.

O nome do pai de Ana, "Fanuel", significa "face de Deus". Com toda certeza, Ana era "a cara do seu pai", e cultivava a mesma índole dele, pois era alguém comprometida com a presença de Deus e esperançosa na vinda do Messias. Da mesma maneira, todos aqueles que nascem de novo pelo Espírito carregam a Sua identidade — a face do Pai. E não existe beleza maior do que essa.

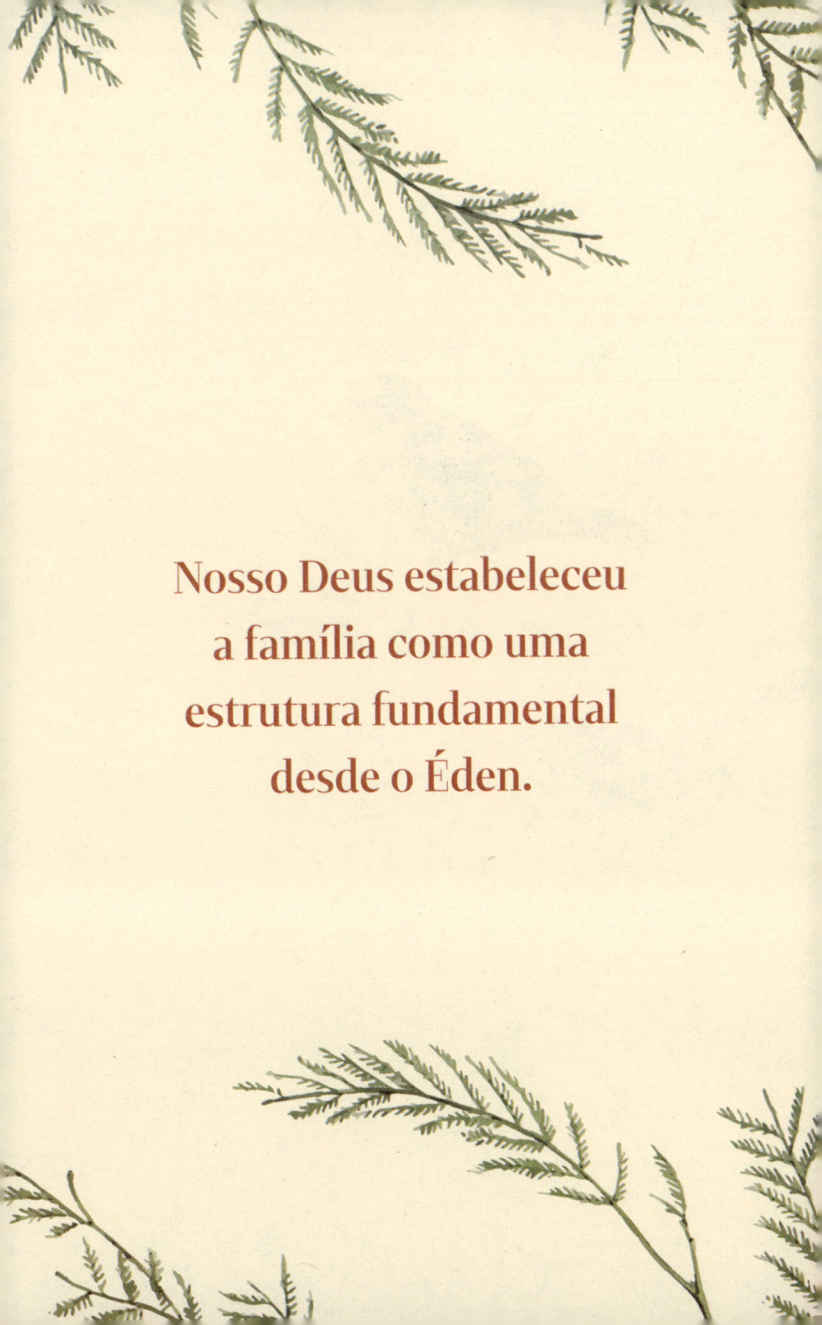

Nosso Deus estabeleceu a família como uma estrutura fundamental desde o Éden.

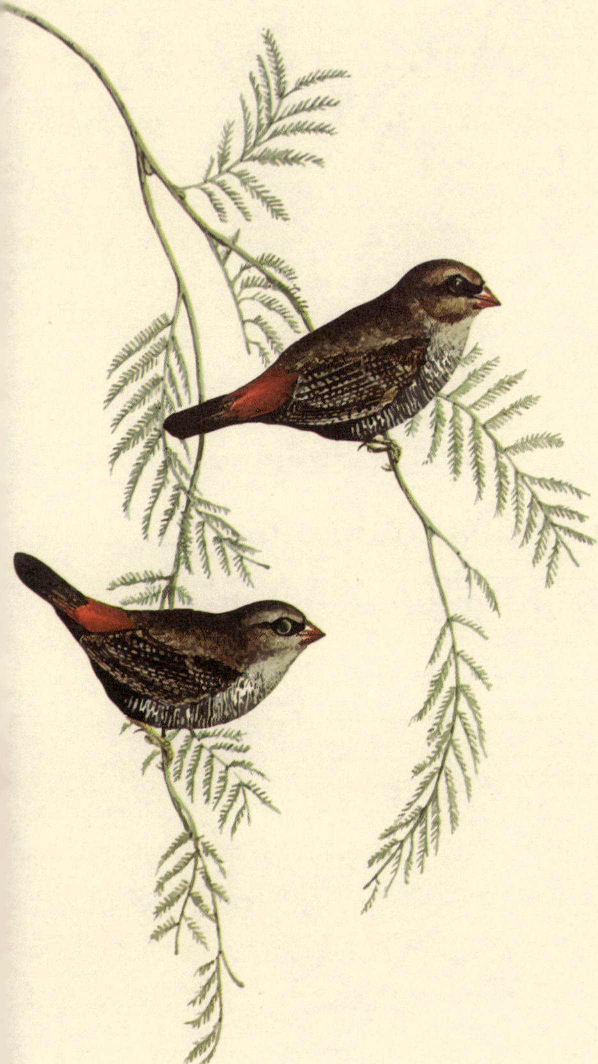

Capítulo 4
Servindo os príncipes com pão e azeite

*E estava ali a profetisa Ana, filha de Fanuel, da **tribo de Aser** [...]*. (Lucas 2.36 – grifo nosso)

O utro aspecto que não pode ser ignorado sobre a descendência da profetisa Ana é a tribo a qual pertencia. Seu pai, Fanuel, era da tribo de Aser, logo, ela também. Aser era um dos filhos de Jacó, sua mãe era Lia (ou Leia), a primeira esposa do patriarca, a irmã desprezada de Raquel. A mulher havia sido dada em casamento a Jacó de maneira enganosa, por seu pai, Labão (cf. Gênesis 29-21-27). Por causa disso, o homem nunca a amou completamente, chegando a desprezá-la em certos momentos.

Se pensarmos sobre essa rejeição, poderíamos concluir que, indiretamente, toda a descendência de Lia seria composta por pessoas pouco expressivas, com baixa autoestima, cheias de problemas de identidade e aceitação. Contudo, o Senhor é Aquele que redime todos que buscam a Sua face, e pode usar até mesmo aqueles que vêm dos contextos mais complexos e disfuncionais. Ele tem poder para tratar de nossas fraquezas e nos tornar servos imparáveis! E assim Deus fez!

Não podemos esquecer, também, que Jacó abençoou todos os seus filhos antes de morrer, e Aser não ficou de fora desse momento. A cada um, o patriarca dedicou uma benção específica, quase como um destino profético para a sua descendência.

Quando chegou a vez de Aser, seu pai disse a ele: "De Aser, o seu pão será abundante e ele dará delícias reais" (Gênesis 49.20). Perceba a profundidade dessa benção... Apesar de parecer curta demais em comparação a de seus irmãos, carrega um significado grandioso. Jacó disse que seu filho teria abundância de pão, porém não fala sobre comê-lo, o que fica mais complexo quando menciona as delícias

Capítulo 4 | Servindo os príncipes com pão e azeite

reais. A meu ver, isso tem um sentido bastante específico: a tribo de Aser seria aquela que serviria aos príncipes da Terra.

Cerca de quatrocentos anos depois, quando o povo foi liberto da escravidão do Egito e peregrinava em direção à Terra Prometida, pouco antes de morrer, Moisés também abençoou as tribos de Israel, direcionando-os para o futuro que o Senhor os havia reservado. O ato de abençoar era muito comum na cultura hebraica, e pode ser verificado em diversas passagens das Escrituras. Para os descentes de Aser, suas palavras foram:

> *[...] Bendito seja Aser com seus filhos, agrade a seus irmãos e banhe em azeite o seu pé.*
> (Deuteronômio 33.24)

A benção do libertador expandiu ainda mais o que Jacó havia declarado sobre Aser, acrescentando o azeite nos pés, símbolos da prosperidade e unção, sobre a vida de toda a tribo e suas futuras gerações. E isso se cumpriu maravilhosamente, como podemos testificar no livro de 2 Reis. O Rei Salomão enviava homens ali para buscar provisões (cf. 2 Reis 4.16).

ALIMENTE O PRÓXIMO

Talvez, o período de silêncio em sua vida tenha ressaltado alguns problemas do passado e o colocado em uma estação de escassez. Mesmo assim, lembre-se de que o nosso Deus sempre cuidou de Seu povo, ainda que passasse pelo deserto ou estivesse no exílio. Assim como Ana, que foi capaz de persistir alimentando seu espírito em uma época de incredulidade e pôde presenciar a chegada do Messias, basta procurar e logo encontrará, dentro de você, o pão para alimentar o faminto.

Respire por alguns instantes e perceba o cesto que o Senhor colocou em suas mãos. O alimento que Ele lhe deu é mais do que suficiente, então está na hora de levantar-se do pó e conceder pão aos que precisam. Quem sabe o seu "pão" não seja um dom, uma palavra, uma revelação, um abraço ou apenas um ombro amigo; pode até parecer seco, sem uma cobertura decente ou um recheio, mas será o alimento que trará vida ao prostrado.

Capítulo 4 | Servindo os príncipes com pão e azeite

Também não compare aquilo que está em seu cesto com o que os outros carregam, pois cada um tem sua própria medida e um chamado divino específico para servir. Considere, especialmente, que a mulher que distribuiu pães é aquela que anuncia o Evangelho. Jesus é o pão vivo que desceu do Céu. Aleluia! Ele mesmo declarou isso:

> ***Eu sou o pão da vida.*** *Vossos pais comeram o maná no deserto e morreram. Este é o pão que desce do céu, para que o que dele comer não morra. Eu sou o pão vivo que desceu do céu; se alguém comer desse pão, viverá para sempre; e o pão que eu der é a minha carne, que eu darei pela vida do mundo.* (João 6.48-51 – grifo nosso)

Além do pão, há ainda uma segunda palavra do Senhor sendo liberada sobre você durante o período de silêncio: "Estou colocando azeite em seus pés!". É um pouco incomum pensarmos na unção como algo direcionado aos pés, já que, na maioria das vezes, entendemos que esse ato tem muito mais a ver com o derramamento do líquido sobre a cabeça.

Contudo, devemos nos lembrar que o próprio Jesus teve seus pés ungidos por Maria com um óleo precioso, o que marcou uma das maiores demonstrações de honra e amor de toda a Bíblia (cf. João 12.1-8).

Eu gostaria de ir um pouco além nessa compreensão. Ao pensar no que acontece quando derrubamos azeite no chão, ou mesmo qualquer tipo de líquido, a tendência é que o piso fique escorregadio, por vezes, é capaz até de causar algum acidente; mas, se você pensar como uma criança, verá ali uma ótima oportunidade para deslizar e se divertir. Acredito que essa deva ser a nossa reação quando recebemos o azeite do Senhor em nossas vidas: deslizar com rapidez rumo à missão que precisa ser cumprida, neste caso, conceder unção aos príncipes.

> **Acredito que essa deva ser a nossa reação quando recebemos o azeite do Senhor em nossas vidas: deslizar com rapidez rumo à missão que precisa ser cumprida**

Se, até hoje, você não saiu para distribuir nada do que recebeu do Pai, prepare-se, pois esta é a oportunidade perfeita para começar a fazer isso! Deslize,

Capítulo 4 | Servindo os príncipes com pão e azeite

mulher! Sorria! Chegou o tempo de ver o seu ministério ganhar velocidade.

Se, até hoje, você não saiu para distribuir nada do que recebeu do Pai, prepare-se, pois esta é a oportunidade perfeita para começar a fazer isso!

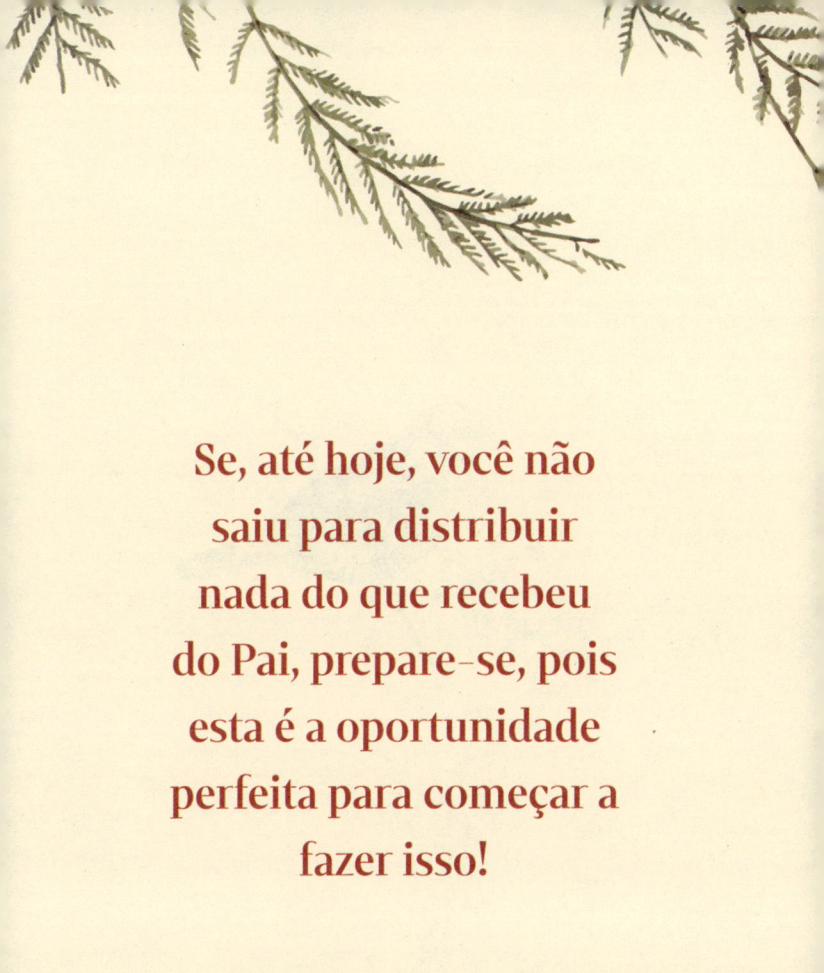

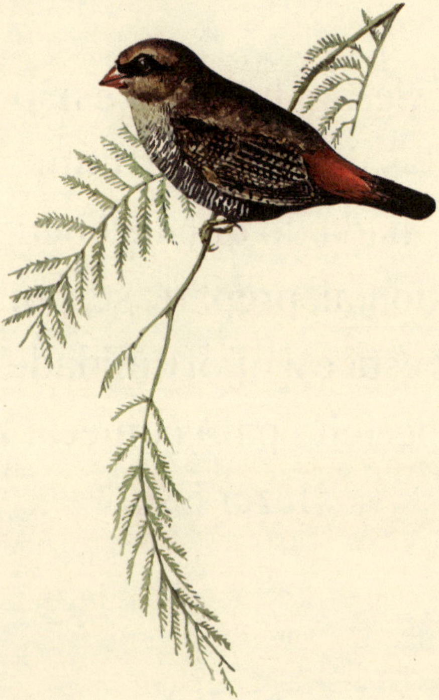

Capítulo 5

O tempo de Deus

Ana era viúva. Diferentemente da cultura brasileira, em que, na maioria das vezes, nos solidarizamos com uma mulher que perdeu seu marido, e a motivamos a seguir com sua vida e projetos, no contexto daquela época, isso poderia transformar a profetisa em uma mulher desprivilegiada. Como já conversamos, o casamento sempre foi um símbolo de proteção e de pertencimento a uma descendência, em especial, para as esposas. Ana, apesar de ter perdido seu companheiro no sétimo ano de casamento, escolheu que o sofrimento não a paralisaria, e sim serviria como combustível da sua devoção.

Se levarmos em conta, especificamente, o número sete, encontraremos um paralelo muito interessante com a vida cristã. Nas Escrituras, esse algarismo sempre está associado à perfeição divina, a completude, como os sete dias de uma semana (cf. Gênesis 2.1-3) ou os sete espíritos de Deus (cf. Apocalipse 4.5). Não sabemos se Ana possuía outros parentes próximos com quem convivia, ou mesmo algum filho que gerou antes da morte de seu marido, porém, o que a Bíblia deixa claro para nós é que a profetisa tinha a presença de Deus como companhia e aguardava a manifestação do Messias no tempo oportuno.

O TEMPO PERFEITO

É fácil falarmos sobre aquelas sete semanas de propósito que fizemos, ou daquela semana em que decidimos jejuar todos os dias em favor de uma causa. Qualquer sacrifício desse tipo demanda dedicação e humildade, contudo, o Senhor quase sempre nos responde quando dedicamos tempo para escutá-lO, ainda que isso não seja uma garantia de que receberemos exatamente o que pedimos.

Se pararmos para pensar, lembraremos de alguns casos que tiveram desfechos felizes, como os sete mergulhos de Naamã no rio Jordão, que resultaram na cura de sua lepra (cf. 2 Reis 5), ou dos sete dias em que os hebreus rodearam a cidade de Jericó, até o muro ser derrubado (cf. Josué 6). Em momentos como esse, em que somos respondidas por Deus de maneira sobrenatural, celebramos com todas as nossas forças, agradecendo a benção concedida. Por outro lado, são poucas as que permanecem quando nada acontece.

Tenha maturidade para entender o que vou dizer agora: o tempo de Deus não é perfeito apenas porque temos a possibilidade de ganhar, mas também porque podemos ser ensinados durante a derrota ou o silêncio. No sétimo mergulho, Naamã foi sarado; na sétima volta, as muralhas de Jericó caíram; mas, no sétimo ano, uma mulher viu o seu marido descer à sepultura. Se não fosse a total rendição de Ana ao Senhor, o tempo da perfeição seria o ano do luto, e não a oportunidade de habitar no templo diariamente, aguardando a promessa.

> **O tempo de Deus não é perfeito apenas porque temos a possibilidade de ganhar, mas também porque podemos ser ensinados durante a derrota ou o silêncio.**

Há tempo de ganhar e de perder. Deus faz tudo perfeito e no período certo...até o tempo da dor. Por isso aquela perda dolorosa não a matou; por mais difícil que seja aceitar, saiba que aconteceu no momento de Deus.

NÃO SE AFASTE DO TEMPLO

Mesmo com idade avançada, Ana não se afastava do templo. Dia e noite, permanecia no mesmo lugar, sem se importar com as perdas do passado ou a desesperança aparente, apenas confiando no Senhor e cultivando uma rotina de devoção contínua. Não pense que a apresentação de uma criança naquela época funcionava como nas igrejas de hoje em dia, com uma agenda pré-estabelecida e um momento determinado no culto para acontecer. Às vezes, dependendo da situação, temos tempo até de convidar os membros da nossa família para presenciar esse evento especial.

No passado, as coisas eram bem diferentes! Ninguém ali sequer sabia quando o Messias nasceria, ainda que tivessem diversos sinais nas antigas profecias; mais difícil ainda seria prever quando a criança seria levada ao templo pelos pais. A única maneira de não perder esse momento seria permanecendo naquele lugar, sem qualquer certeza de que algo aconteceria enquanto estivesse ali. Graças a Deus, Ana decidiu não arriscar, mesmo que isso significasse dedicar toda a sua vida em razão dessa espera. Doce decisão, tal qual a do salmista:

> *Uma coisa pedi ao Senhor e a buscarei: que possa morar na Casa do Senhor todos os dias da minha vida, para contemplar a formosura do Senhor e aprender no seu templo.* (Salmos 27.4)

A casa de Deus é, essencialmente, um lugar para contemplar a grandeza do Senhor e para aprender. O compromisso com as reuniões espirituais de uma igreja lhe proporcionará a oportunidade da adoração congregacional, mas trará, também, a possibilidade de crescimento pessoal por meio do que é ensinado ali.

Alguns insistem em desvalorizar a benção de ser parte da comunidade cristã de forma ativa e salitra. Existem coisas que, infelizmente, aqueles que estão sempre ausentes não viverão; alguns marcos da vida não se repetem, e somente os que não se afastam do templo vão experimentar. Quem não tira os olhos da Presença, também não perde a Sua visitação.

Permanecer no templo — ou, em nosso caso, no lugar de culto — tem grande importância para a vida da mulher cristã. Infelizmente, algumas de nós passaram a acreditar na possibilidade de um ministério solitário, longe da comunhão, mas esse afastamento só nos coloca em posição de maior vulnerabilidade, como uma ovelha que caminha sozinha. Essa postura, especialmente em líderes e pessoas notáveis, direciona a um caminho de autossuficiência, orgulho e endeusamento do ministério que recebeu. Que Deus nos guarde disso!

A comunhão com outros crentes nos coloca em nosso lugar: o de membros de um Corpo, em que todas as partes são interdependentes; somente assim ele pode funcionar perfeitamente e permanecer vivo. Não se iluda com uma fagulha de fama ministerial, igreja local é solo, base, estrutura.

LIVRE DAS AMARRAS

A rotina de Ana no templo era marcada pelo jejum. Dentre todas as disciplinas espirituais que devemos priorizar, essa é uma das mais desafiadoras. A prática envolve uma atitude de abstinência que, em um primeiro momento, pode aparentar não ter nenhum resultado efetivo. Deixar de alimentar a carne para frutificar o espírito

> Jejuar não é simplesmente fazer uma dieta, mas ser liberto das regras e possessões — as amarras que nos retiram do tempo de Deus.

é um exercício que pode levar à exaustão se não for feito da maneira certa, tanto pelo aspecto biológico, como pelo peso espiritual.

No entanto, todas que vencem a barreira do comodismo, acessam um lugar de intimidade com o Senhor e liberdade no Espírito sem igual. Jejuar não é simplesmente fazer uma dieta, mas ser liberto das regras e possessões — das amarras que nos retiram do tempo de Deus.

Algumas de nós podem afirmar: "Eu não vivo sem café", "Eu não vivo sem chocolate" ou, "Eu não vivo sem frutas", porém, quando decidimos deixar todas essas coisas de lado, fazemos uma declaração de que nada disso tem poder para nos dominar. Além disso, o jejum nos treina para abdicar com maior facilidade de tudo que for necessário. Somente por meio dessa libertação seremos capazes de sobreviver às perdas sem enlouquecer ou perder a fé.

Deus conhece as suas estruturas internas e sabe qual é o seu limite, por isso, não fique amedrontada se o período de silêncio parecer ensurdecedor. O que seria uma perda, por uma perspectiva, transforma-se no acesso para um lugar ainda mais alto, próximo ao Senhor.

Não se esqueça de que você é totalmente governada pelo Espírito de Deus! Quando você ganha, é Deus; e quando perde, é Ele, também.

Não esqueça que você é totalmente governado pelo Espírito de Deus! Quando você ganha, é Deus; e quando perde, é Ele, também.

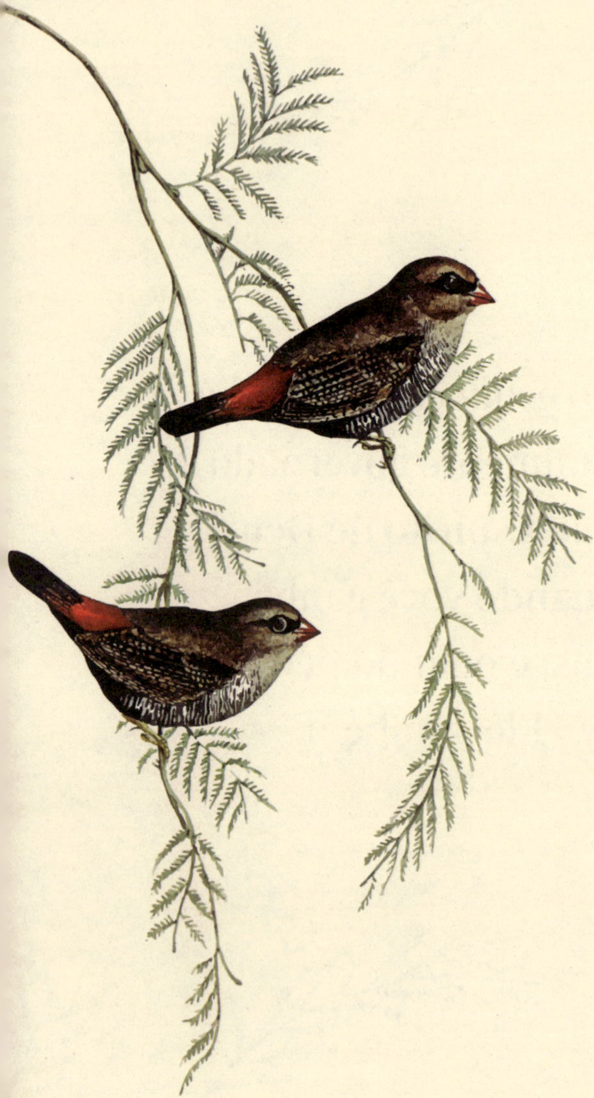

Capítulo 6

O profeta do lugar improvável

*E, quando acabaram de cumprir tudo segundo a lei do Senhor, voltaram à **Galileia**, para a sua cidade de Nazaré.* (Lucas 2.39 – grifo nosso)

Além de pertencer à tribo de Aser, Ana também era nascida na Galileia. Isso poderia ser mais uma informação historiográfica de sua biografia, mas nascer nessa região tinha um peso a mais. Não bastasse ser uma profetisa em um tempo de incredulidade e silêncio, ela também carregava o estigma de uma origem no norte de Israel, um local que sofria um preconceito interno na nação devido à simplicidade de seus habitantes.

Contudo, Ana não era a única galileia presente no templo naquela ocasião. Jesus, o nazareno, morava

A profecia do silêncio

na Galileia e retornou para lá após a sua apresentação. Ainda que não tenha habitado lá por toda a vida, Cristo também sofreu descrédito em Seu ministério devido à origem humilde.

Certa vez, tentaram descredibilizar Suas pregações, dizendo a Ele que nenhum profeta havia nascido naquela região (cf. João 7.52). Os galileus eram conhecidos como malfalantes, sofriam deboche, tinham descuidos gramaticais e, assim, denunciavam a sua origem em qualquer lugar que estivessem. No entanto, parece que nenhum dos acusadores de Jesus conheceu a profetisa Ana, aquela que anunciou a todos a chegada do Messias depois de conhecê-lO.

O fato de as pessoas não a conhecerem não diminui a sua importância. Quando alguém tenta diminuir sua história, pontuando coisas desagradáveis sobre a sua origem, isso só reforçará o que a graça de Deus fez por você. E tem algo mais que eu gostaria que soubesse: o desprezo, por vezes, destilado em nós, nem sequer respinga na nossa existência. Você é uma filha amada, escolhida entre muitas. Absolutamente nada pode alterar os pensamentos e decisões de Deus a seu respeito.

Capítulo 6 | O profeta do lugar improvável

A história da profetisa Ana me inspira. Em alguns pontos, enxergo a minha própria experiência de vida. Talvez, esse seja o seu caso, também. Uma mulher que não é reconhecida por ter uma família nobre ou bons precedentes; que não fala como uma profeta; que não tem cara de pregadora; que as roupas não chamam atenção, ou, quem sabe, causam curiosidade pelo estilo singular.... Mas saiba que nada disso descredibiliza a sua unção. Aliás, é justamente suportando a injustiça e os comentários maldosos que você inspirará uma geração a se erguer do silêncio.

Em Mateus 27.55, lemos: "E estavam ali, olhando de longe, muitas mulheres que tinham seguido Jesus desde a Galileia, para o servir". Eu poderia arriscar que Ana teve alguma influência nisso. Quero acreditar que os boatos a respeito da profetisa que anunciava o nascimento do Salvador se espalharam por toda a região, inspirando jovens de todas as idades a largar tudo para seguir o Mestre. É bem provável que aquela senhora não tenha tido a chance de contemplar o fruto de seu testemunho, porém foi honrada com a expansão de uma mensagem que mudou a História para sempre.

Assim como Ana, devemos ser mulheres cuja vida e o ministério atraiam pessoas até Jesus. Esse é o tempo! Não tenha dúvidas de que você é a pessoa certa para essa missão. Compartilho com você as palavras do escritor Tony Cooke:

> O maior desafio da liderança espiritual não está apenas em saber as palavras certas a dizer ou as coisas certas a fazer, mas está em se tornar a pessoa certa.[1]

Prossiga! Você já está no caminho dessa realidade.

A PROFECIA QUE SURGE DO SILÊNCIO

Em um período em que as revelações eram tão raras, Deus revelou-Se a uma mulher. Alguém que, embora conhecesse a tristeza, não era amargurada e estava resolvida com o seu passado, ignorando o silêncio sepulcral de todos ao seu redor. Ela já não era uma moça jovem, e teria muitos argumentos plausíveis para

> *Em um período em que as revelações eram tão raras, Deus revelou-Se a uma mulher.*

---

[1] Tony Cooke, *Qualificados*, 2016.

perder as esperanças e entregar-se ao isolamento completo. Mas sua decisão contrariou todas as expectativas, pois ela nunca deixou de adorar na casa de Deus, orando e jejuando a respeito dos questionamentos.

Quando, finalmente, Cristo apareceu para ser circuncidado, cumprindo os preceitos da Lei de Moisés, Simeão estava congratulando-se, com o sentimento de dever cumprido. Ana, contrariamente, foi falar d'Ele para todas as pessoas de Jerusalém. O Pão da Vida lhe foi apresentado de maneira tão extraordinária e abundante que não pôde aceitar todo aquele banquete somente para si, ela precisava compartilhá-lO. Com azeite nos pés, a idosa deve ter repetido até o fim dos seus dias "Ele é o Messias prometido!".

Se você abrir a sua Bíblia no último capítulo de Malaquias, provavelmente encontrará um espaço em branco, um silêncio. Nesse lugar vazio, aparentemente esquecido pela maioria, a história de Ana era escrita distante dos olhares de todos. Uma mulher forte, que

> **Nesse lugar vazio, aparentemente esquecido pela maioria, a história de Ana era escrita distante dos olhares de todos.**

não testemunhou a manifestação de Cristo dizendo: "Agora eu já posso morrer!". Não! Ana queria anunciá-lO enquanto ainda tivesse fôlego de vida em seus pulmões.

Refletindo sobre esse exemplo, restrito a tão poucos versículos do Evangelho de Lucas, faço algumas perguntas: Quais são as nossas desculpas? Por que estamos calados, sem profetizar? O silêncio, os traumas, o passado, nossa origem são mais poderosos que o sangue que nos libertou? Livre-se agora, em nome de Jesus, de todo o sentimento de desistência e morte.

O apóstolo Paulo, em um de seus últimos escritos bíblicos, orientou seu filho na fé, Timóteo, com o seguinte conselho:

> *Conjuro-te, pois, diante de Deus e do Senhor Jesus Cristo, que há de julgar os vivos e os mortos, na sua vinda e no seu Reino,* **que pregues a palavra, instes a tempo e fora de tempo**, *redarguas, repreendas, exortes, com toda a longanimidade e doutrina.* (2 Timóteo 4.2 – grifo nosso)

Capítulo 6 | O profeta do lugar improvável

Se você não souber sobre o que falar, fale de Cristo. Se tiver a oportunidade de cantar, louve os Seus grandes feitos. Se deseja escrever algo que edifique, escreva sobre a grandeza do Evangelho. Se quer fazer uma postagem nas redes sociais, glorifique ao Senhor com esse conteúdo. Se há algum sentimento de gratidão em seu coração, renda toda honra ao Único Digno. Faça todas essas coisas com alegria, mesmo que tudo ao seu redor pareça desmoronar, só não deixe que o silêncio fale mais alto do que a profecia que Ele colocou em seus lábios.

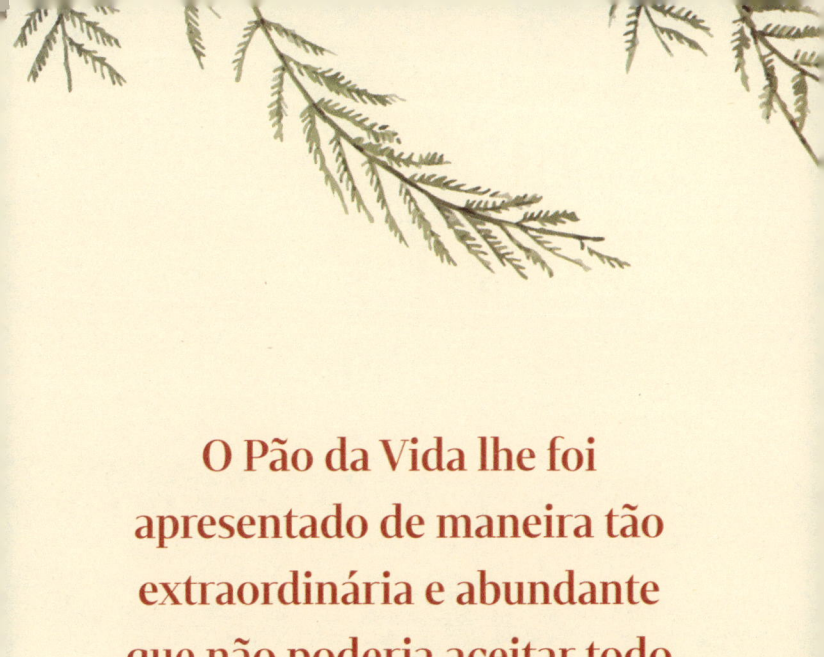

O Pão da Vida lhe foi apresentado de maneira tão extraordinária e abundante que não poderia aceitar todo aquele banquete somente para si, ela precisava compartilhá-lO.

Referências bibliográficas

CAPÍTULO 1
TAGNINI, Enéas. **O Período Interbíblico**: 400 anos de silêncio profético. 1ª ed. São Paulo: Hagnos, 2009.

CAPÍTULO 2
MACDONALD, William. **Comentário Bíblico Popular - Novo Testamento**: versículo por versículo. São Paulo: Mundo Cristão, 2008.

CAPÍTULO 3
PHANOUEL [5323]. *In*: DICIONÁRIO bíblico Strong. Barueri: Sociedade Bíblica do Brasil, 2002.

CAPÍTULO 6

COOKE, Tony. **Qualificados**. Campina Grande: Rhema Brasil Publicações, 2016.

ROGERSON, John. **Terras da Bíblia**. Tradução: Carlos Nougué. Barcelona: Editora Folio, 2006. p. 136.

Este livro foi produzido em Adobe Garamond Pro 11 e impresso
pela BMF Gráfica e Editora sobre papel Pólen Natural 80g
para a Editora Quatro Ventos em fevereiro de 2024.